Texte et illustrations : Marisol Sarrazin

Pépé, Flox
et les chaussettes

À PAS DE LOUP
niveau **2**

Je sais déjà lire

Données de catalogage avant publication (Canada)

Sarrazin, Marisol, 1965-
Pépé, Flox et les chaussettes
(À pas de loup)
Pour les enfants de 6 ans et plus.

ISBN 2-89512-047-1

I. Titre. II. Collection.

PS8587.A384P46 1999   jC843'.54   C98-941423-X
PS9587.A384P46 1999
PZ23.S27Pe 1999

Directrice de collection : Lucie Papineau
Conception graphique : Diane Primeau

Dépôts légaux : 1er trimestre 1999
Bibliothèque nationale du Québec
Bibliothèque nationale du Canada

ISBN 2-89512-047-1

Dominique et compagnie
Une division des éditions Héritage inc.
300, rue Arran, Saint-Lambert (Québec) J4R 1K5
Téléphone : (514) 875-0327
Télécopieur : (450) 672-5448
Courriel : info@editionsheritage.com

Imprimé au Canada

10 9 8 7 6 5 4 3

Nous remercions le Conseil des Arts du Canada de l'aide accordée à notre programme de publication, ainsi que la SODEC et le ministère du Patrimoine canadien.

L'auteure a reçu une subvention du Conseil des Arts du Canada pour l'écriture de cet ouvrage.

Le Conseil des Arts | The Canada Council
du Canada | for the Arts
depuis 1957 | since 1957

SODEC
Société de
développement
des entreprises
culturelles
Québec ::

*À Pierre et Ginette,
qui m'ont transmis
l'amour des livres.*

Bonjour !
Je m'appelle Flox.
Et voici Thomas, mon maître.

Lui, c'est Pépé Sait-tout-tout.
C'est aussi mon grand-père !
Grâce à lui, un jour
je serai un bon, un beau, un vrai...
petit chien parfait.

C'est normal, Pépé sait tout, tout.
Il passe son temps à m'expliquer des choses.
Ce matin, c'était « les dents ».
Il s'est raclé la gorge en disant :

Flox, mon petit Flox,
tu sais combien les dents c'est important.
Il faut les soigner et ton vieux Pépé
va te dire exactement comment.

D'abord choisir une chaussette...

Ni trop petite, ni trop grande,
ni trop propre, ni trop sale.
Toujours en laine, pour ton haleine,
jamais en nylon, ça donne des boutons !

Pour la trouver, vive le panier.
C'est un trésor, une vraie mine d'or...

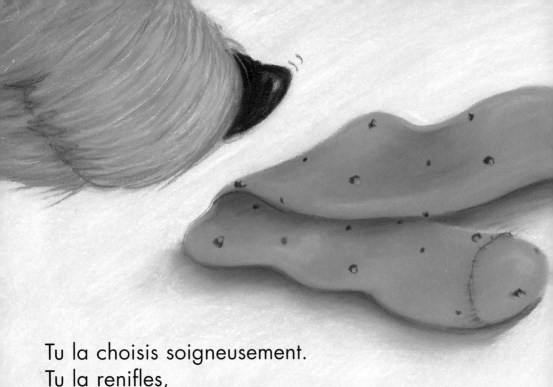

Tu la choisis soigneusement.
Tu la renifles,
tu la tripotes,
puis tu la serres entre tes dents.

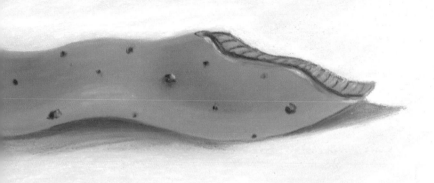

Ensuite, tu la secoues vigoureusement.

Fu la fecoues figoureusement.

Tu la mâchouilles, tu l'écrabouilles, tu la chatouilles,
tu la déchires, tu la respires et puis l'étires...

Finalement, tu la caches au fond du jardin !

Flox, mon cher petit,
ce n'est pas fini…
Tu dois aussi chercher un soulier.

Ni trop raide, ni trop mou,
ni trop vieux, ni trop neuf.
Toujours en cuir, ton poil va reluire,
jamais d'espadrilles, ça sent le gorille !

Pour le trouver, vive la chambre à coucher.
C'est un trésor, une vraie mine d'or...

Tu le prends délicatement.
Tu le renifles,
tu le lèches,
tu le grignotes avec tes dents.

Ensuite, tu le mordilles vigoureusement.

*Fu le morvilles
figoureusement.*

Tu le croques, tu le tords, tu le dévores,
tu le fouettes, tu l'émiettes et puis le déchiquettes...

Finalement, tu le caches au fond du jardin !

Et maintenant, mon petit Flox,
après la chaussette et le soulier,
n'oublie jamais le jouet!

Ni trop lourd, ni trop léger,
ni trop beau, ni trop laid.
Toujours en plastique pour la gymnastique,
jamais en fer, trop dur pour les molaires !

Pour le trouver, vive le grenier.
C'est un trésor, une vraie mine d'or...

Tu l'emportes discrètement.
Tu le renifles,
tu le goûtes,
tu le mastiques entre tes dents.

Ensuite, tu le mâchouilles vigoureusement.

*Fu le mâfouilles
figoureusement.*

Tu le plies, tu l'aplatis, tu le démolis,
tu le décapsules, tu le bouscules
et puis le démantibules…

Finalement, tu l'enterres six pieds sous terre !

Les leçons sont terminées pour aujourd'hui.

Merci, Pépé Sait-tout-tout !
Grâce à toi, je suis maintenant
un bon, un beau, un vrai
petit chien parfait
avec de vraies dents de loup !

J'espère que Thomas sera fier de moi !